TRYCIAU

Katie Daynes
Dylunio gan Zöe Wray

Lluniau gan Christyan Fox
Ymgynghorydd Tryciau: David Riley
Addasiad Cymraeg: Elin Meek

Cynnwys

Tryciau'n teithio

Mae tryciau'n cario pob math o bethau o un man i'r llall.

Llwyth yw'r enw ar y pethau mae tryc yn eu cario.

Tryciau a threlars

Mae gan rai tryciau ddwy ran. Ar y trelar mae'r llwyth yn cael ei gadw a'r 'tractor' yw'r enw ar y pen blaen.

Yn y caban mae'r gyrrwr yn eistedd.

Mae weiars a thiwbiau'n cario trydan ac awyr i'r trelar. Maen nhw'n gwneud i'r cefn fod yn ysgafn ac i'r breciau weithio.

Mae'r trelar yn gorffwys ar ddwy goes.

Mae'r tractor yn mynd am 'nôl at y trelar.

Maen nhw'n ymuno ac yn gyrru i ffwrdd.

Pan fydd tryciau trelar yn cyrraedd tro yn y ffordd, y tractor sy'n troi gyntaf, yna mae'r trelar yn dilyn.

Mae tractor yn gallu tynnu gwahanol drelars.

Cyrff tryciau

Mae rhai tryciau sydd heb ddwy ran. Ar nifer o dryciau mae'r trelar yn sownd wrth y caban.

Mae'r tryc hwn yn mynd â bananas ffres i'r farchnad.

Dim ond tair olwyn sydd gan rai tryciau bach iawn.

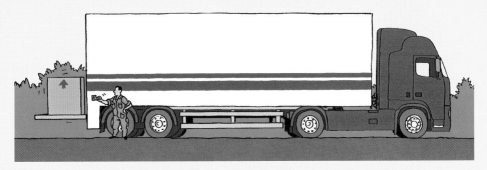

Mae ochrau caled gan dryciau corff bocs.
Maen nhw'n agor yn y cefn.

Mae gan dryciau lenni ochrau sy'n agor fel
llenni mawr.

Ar dryciau gwastad, mae'r llwyth yn gorwedd yn
wastad ar y trelar a rhaff yn ei glymu'n sownd.

Llwytho

Mae llawer o dryciau'n casglu eu llwythi o adeiladau enfawr o'r enw warysau.

Mae tryc fforch godi yn codi crât ar baled.

Mae'n mynd ag e allan ac yn ei godi ar dryc.

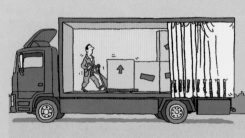

Mae'r cratiau'n cael eu rhoi ar ben ei gilydd yn y tryc.

Mae rhai llwythi, fel ceffylau rasio, yn gallu cerdded i mewn i'w tryciau.

Mae craen gan y tryc hwn. Mae'r gyrrwr yn ei ddefnyddio i lwytho.

Ar y ffordd

Yn aml mae tryciau'n gorfod mynd â'u llwyth i rywle pell i ffwrdd.

Mae'r daith yn gallu cymryd sawl diwrnod.

Mewn llawer o wledydd mae'n rhaid i'r gyrwyr gael egwyl yn ystod y dydd rhag blino gormod.

Mae gyrwyr tryciau'n cael egwyl mewn man aros.

Ar deithiau hir maen nhw'n gallu ymlacio, bwyta a chysgu yn eu tryciau.

Yn y caban mae lle i ymlacio.

Mae gwely'n plygu i lawr o'r wal.

Dros y môr

Efallai bydd yn rhaid i dryciau fynd â llwyth dros y môr ar fferi.

Mae'r tryciau'n cyrraedd y porthladd. Maen nhw'n gyrru i fyny ramp, ar fferi.

Mae'r fferi'n cau ei drws cefn ac yn hwylio dros y môr.

Pan fydd hi'n cyrraedd y tir, mae blaen y fferi'n agor ac i ffwrdd â'r tryciau.

Mae rhai llwythi'n cael eu codi ar long, gan adael y tryc ar ôl.

Mae'r llong yn croesi'r môr ac mae'r llwyth yn mynd ar dryc arall.

Mae'r llwyth yn teithio mewn blwch o'r enw amlwyth. Mae craeniau'n codi'r amlwythi ar y llong ac oddi arni.

Craen amlwythi

Amlwythi

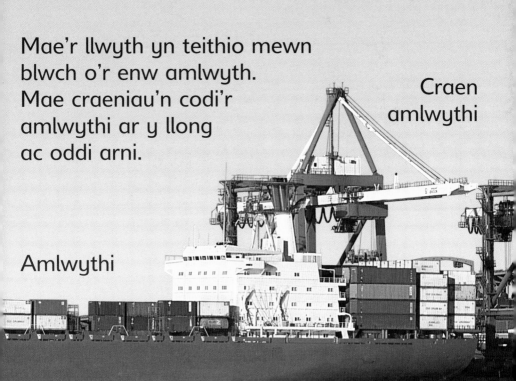

Tanceri

Mae tanceri'n cario hylif neu nwyon mewn tanciau mawr ar eu trelars.

Mae tanceri llaeth yn casglu llaeth o ffermydd. Mae'r llaeth yn mynd drwy biben i'r tanc.

Mae gwartheg yn cael eu godro ddwywaith y dydd. Mae'r tancer yn casglu'r llaeth yr un diwrnod.

Mae tanceri
tanwydd yn mynd
â thanwydd i orsafoedd
petrol.

Yn yr orsaf betrol,
mae peipiau'n cael eu
rhoi wrth y tancer.

Mae'r tanwydd yn
mynd i danciau mawr
o dan y ddaear.

Tanc
tanwydd

Tanc
tanwydd

15

Dadlwythwyr

Tryciau enfawr yw dadlwythwyr. Maen nhw'n cario tywod, pridd a darnau o graig.

Mae'r gyrrwr yn gorfod dringo grisiau i gyrraedd y caban.

Mae cloddiwr mawr yn llenwi'r tryc â phridd.

Mae'r tryc yn mynd â'r pridd i ffwrdd, ac yn ei ddadlwytho.

Mae gan rai dadlwythwyr olwynion sy'n dalach na dau ddyn tal.

17

Injans tân

Tryciau yw injans tân sy'n dod ag ysgolion a dŵr lle mae tân.

Mae'r dynion tân yn agor yr ochr i gael yr offer.

Maen nhw'n dirwyn peipiau ac yn eu rhoi wrth danc dŵr y tryc.

Os yw'r tanc dŵr yn mynd yn wag, maen nhw'n nôl dŵr o beipiau o dan y ddaear.

Mae ysgolion yn ymestyn o gefn y tryciau. Mae'r dynion tân yn chwistrellu dŵr ar y tân.

Mae llwyfan gan rai injans tân sy'n codi i achub pobl.

Llwythi trwm

Mae llawer o olwynion gan dryciau sy'n cario llwythi mawr, trwm. Weithiau maen nhw'n symud ar draciau.

Mae'r tryc hwn yn cario llong ofod. Wyt ti'n gallu gweld caban y tryc?

Mae'r tryc yn mynd â'r llong ofod i warws.

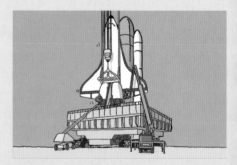

Mae craeniau'n helpu i godi'r llong ofod ar dryc cropian.

Llong ofod

Mae traciau gan y tryc cropian, yn lle olwynion. Mae'n cario'r llong ofod i'r pad lansio.

Trac

Mae'r tryc cropian yn mynd yn arafach na pherson yn cerdded, hyd yn oed.

21

Gwaith budr a brwnt

Mae dynion casglu sbwriel yn mynd â'r sbwriel mewn lorïau sbwriel.

Mae bin sbwriel yn cael ei fachu wrth y lori. Mae'n cael ei godi ac mae'r sbwriel yn arllwys allan.

Mae plât metel mawr yn gwasgu'r sbwriel i wneud rhagor o le.

I wacáu'r lori, mae'r cefn yn codi ac mae plât metel yn gwthio'r sbwriel allan.

Mae lori fwy o faint yn mynd â'r sbwriel i gael
ei losgi neu'i gladdu.

Rydyn ni'n gallu defnyddio peth sbwriel eto.
Mae'r lori hon yn dadlwytho
bagiau o blastig
i'w ailgylchu.

Poeth ac oer

O gwmpas y byd, mae tryciau o wahanol siâp i wneud gwahanol waith.

Tryciau mawr sydd â sawl trela yw trenau ffordd.

Maen nhw'n teithio'n bell iawn ar ffyrdd syth iawn. Mae rhai'n teithio ar draws diffeithwch.

Dydy'r trenau ffordd ddim yn gweld llawer o draffig felly maen nhw'n gallu teithio'n gyflym.

Ar fynyddoedd eira,
mae tryciau'n cael eu defnyddio
i gael yr eira ar y llethrau sgïo'n wastad.

Mae traciau ganddyn nhw yn lle olwynion
felly dydyn nhw ddim yn llithro ar yr eira.

Mae blaen y tryc
yn symud yr eira
o'r ffordd.

Yn y cefn mae
brwshys i gael yr
eira'n wastad.

25

Lorïau cario ceir

Mae lorïau cario ceir yn mynd â cheir i garejys. Dilyn y rhifau i weld sut maen nhw'n llwytho.

Dec

1. Mae car yn mynd am 'nôl ar ddec ac yn cael ei godi.

2. Mae dau gar yn dilyn, yna mae'r dec i gyd yn cael ei godi.

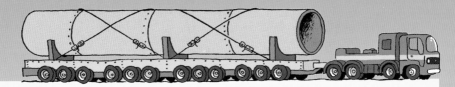

Mae mwy na 50 olwyn gan rai tryciau.

3. Mae tri char yn gyrru ar ddec uwchben y caban.

4. Mae chwe char arall yn ffitio ar y deciau eraill.

Chwaraeon tryciau

Dydy rhai tryciau ddim yn cario llwythi.
Yn lle hynny maen nhw'n cymryd rhan mewn
chwaraeon tryciau.

Mae'r tryciau hyn yn rasio.
Maen nhw'n gyrru o gwmpas ar wib.

Mae injans jet gan rai tryciau cyflym, yn union fel awyrennau.

Unwaith y flwyddyn mae ras dryciau sy'n mynd dros ddiffeithwch Sahara ac yn cymryd 21 niwrnod.

Mae tryciau anferth yn cymryd rhan mewn cystadlaethau neidio.

Maen nhw'n gwibio i fyny ramp . . .

cyn neidio i fyny a dros rywbeth mawr.

Yna mae nhw'n glanio'n drwm ar y ddaear.

Geirfa tryciau

Dyma rai o'r geiriau yn y llyfr hwn sy'n newydd i ti, efallai. Mae'r dudalen hon yn rhoi'r ystyr i ti.

 llwyth – y pethau mae tryc yn eu cario.

 caban – rhan flaen y tryc lle mae'r gyrrwr yn eistedd.

 trelar – mae'n cario llwyth ar olwynion ac mae'r tryc yn ei dynnu.

 paled – hambwrdd mawr sy'n cael ei ddefnyddio mewn warysau.

 man aros – fel maes parcio, ond i dryciau Mae gyrwyr yn gallu aros dros nos yma.

 fferi – llong sy'n mynd â phobl, tryciau a cheir dros y môr.

 ailgylchu – gwneud pethau newydd o hen bethau mae'r tryciau yn eu casglu.

Gwefannau diddorol

Os wyt ti'n gallu mynd at gyfrifiadur, mae llawer o bethau am dryciau ar y Rhyngrwyd. Ar Wefan 'Quicklinks' Usborne mae dolenni i bedair gwefan hwyliog.

Gwefan 1 – Gwneud gwahanol dryciau gyda'r tri cherdyn ar y sgrin.

Gwefan 2 – Dod i wybod rhagor am ddadlwythwyr a safleoedd adeiladu.

Gwefan 3 – Gweld ffotograffau o dryciau o bedwar ban byd.

Gwefan 4 – Dysgu beth mae pob rhan o injan dân yn ei wneud.

I ymweld â'r gwefannau hyn, cer i **www.usborne-quicklinks.com**. Darllena ganllawiau diogelwch y Rhyngrwyd, ac yna teipia'r geiriau allweddol "beginners trucks".

Caiff y gwefannau hyn eu hadolygu'n gyson a chaiff y dolenni yn 'Usborne Quicklinks' eu diweddaru. Fodd bynnag, nid yw Usborne Publishing yn gyfrifol, ac nid yw chwaith yn derbyn atebolrwydd, am gynnwys neu argaeledd unrhyw wefan ac eithrio'i wefan ei hun. Rydym yn argymell i chi oruchwylio plant pan fyddant ar y Rhyngrwyd.

Mynegai

Cydnabyddiaeth

Gyda diolch i Emma Julings a John Russell

Lluniau

Mae'r cyhoeddwyr yn ddiolchgar i'r canlynol am yr hawl i atgynhyrchu eu deunydd:
ⓑ **Alvey & Towers** Clawr, 1, 5, 28; ⓑ **Bill Noonan, Adran Dân Boston** 19; ⓑ **Corbis** (Kevin R. Morris) 6, (Joseph Sohm; ChromoSohm Inc.), 9, (Ted Spiegel) 11, (Richard Hamilton Smith) 16-17, (Richard T. Nowitz 23, (Christine Osborne) 24; ⓑ **The Dairy Council** 14; ⓑ **Digital Vision** 4, 10, 12-13, 16-17, 23, 24; ⓑ **ECM (Gwasanaeth Dosbarthu Cerbydau) Cyf** 26-27; ⓑ **Kässbohrer Geländefahrzeug AG (PistenBully)** 25; ⓑ **Malcolm Birks** 31; ⓑ **NASA** 20, 21; ⓑ **Nissan/dppi** 29; ⓑ **Volvo Truck Limited** 2-3, 15.

Diolch hefyd i
Henry Brook, Chris Hodge Trucks (www.chrishodgetrucks.co.uk), Bill Noonan, Steven Askew, Wolfgang Lutz a The Dairy Council.

Cyhoeddwyd gyda chefnogaeth Llywodraeth Cynulliad Cymru.

Cyhoeddwyd gyntaf yn 2002 gan Usborne Publishing Ltd., Usborne House, 83-85 Saffron Hill, Llundain EC1N 8RT. Cyhoeddwyd gyntaf yng Nghymru yn 2010 gan Wasg Gomer, Llandysul, Ceredigion, SA44 4JL. www.gomer.co.uk

Anifeiliaid Peryglus

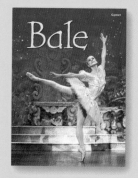

Bale

Byw yn y gofod

Ceffylau a Merlod

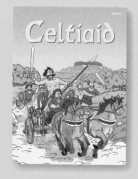

Celtiaid

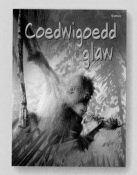

Coedwigoedd glaw

Cŵn

Deinosoriaid

Dy Gorff

Eifftiaid